Edición original: **OQO Editora**

| © del texto | Roberto Aliaga 2008 |
| © de las ilustraciones | Alessandra Cimatoribus 2008 |
| © de esta edición | OQO Editora 2008 |

| Alemaña 72 | 36162 PONTEVEDRA |
| Tfno. 986 109 270 | Fax 986 109 356 |
| OQO@OQO.es | www.OQO.es |

| Diseño | Oqomania |
| Impresión | Tilgráfica |

| Primera edición | enero 2008 |
| ISBN | 978-84-9871-020-5 |
| DL | PO 005-2008 |

*Para Aroa, dulce desvelo.* **R. A.**

# La tortuga que quería dormir

Roberto Aliaga

Ilustraciones de **Alessandra Cimatoribus**

OQO EDITORA

Había una vez una tortuga
que tenía mucho sueño.

Tenía tanto sueño
que iba a dormir todo el invierno.

– ¡Uuuaaa…!

-bostezó.

TIC    TAC

Ya estaba en la cama con su camisón a rayas.

Se había cepillado los dientes y había mullido la almohada.

Sus ojos se estaban cerrando,
el *tictac* del reloj la estaba adormilando…

# ¡TOC-TOC-TOC!...

llamaron a la puerta.

La tortuga abrió los ojos;
muy despacito, se levantó;
encendió la luz y miró el reloj.

**– ¿Quién será a estas horas...?**
-se preguntó.

Se lavó la cara y limpió su caparazón,
¡que a la calle no se sale en camisón!

Al abrir la puerta
encontró un paquete con un lazo.

Dentro había una manta de color morado
y un papel que decía:

TE DESEA BUEN INVIERNO,
TU AMIGA TOTOVÍA.

**¡*Qué amable!*… *¡Qué delicada!*,**
pensó la tortuga, muy halagada.

Y, pasito a pasito,
llevó la manta a su cama.

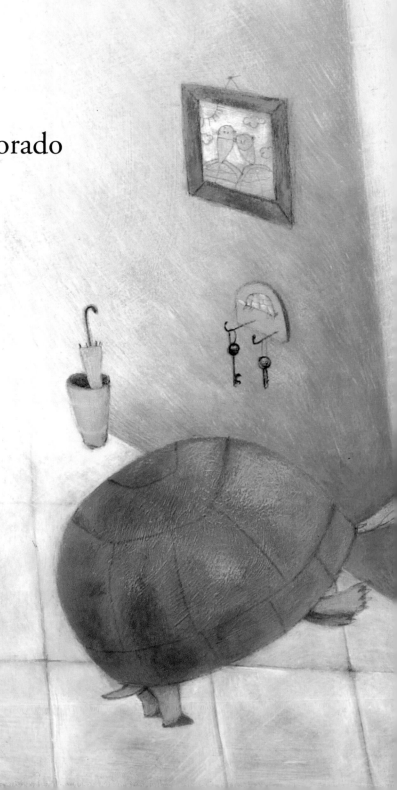

# – ¡Uuuaaaa...!

-volvió a bostezar.

Tenía tanto sueño
que iba a dormir todo el invierno.

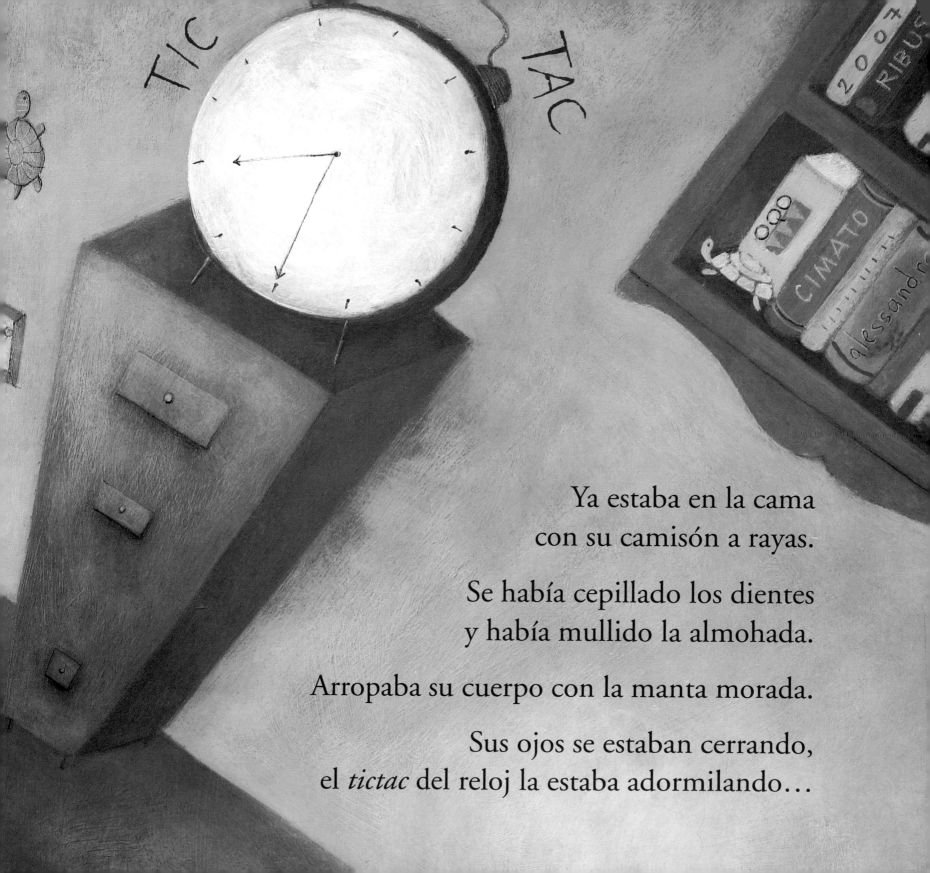

TIC TAC

Ya estaba en la cama
con su camisón a rayas.

Se había cepillado los dientes
y había mullido la almohada.

Arropaba su cuerpo con la manta morada.

Sus ojos se estaban cerrando,
el *tictac* del reloj la estaba adormilando…

# ¡TOC-TOC-TOC!...

llamaron a la puerta.

La tortuga abrió los ojos;
muy despacito, se levantó;
encendió la luz y miró el reloj.

– **¿Quién será a estas horas…?**
  -se preguntó.

Se lavó la cara y limpió su caparazón,
¡que a la calle no se sale en camisón!

Al abrir la puerta
encontró un pastel de pera y una nota:

TE DESEA BUEN INVIERNO,
TU AMIGA MARMOTA.

**¡Qué amable!… ¡Qué delicada!**,
pensó la tortuga, muy halagada.

Y en tres bocados:
*uno*, *dos y tres*,
se zampó todo el pastel.

# – ¡Uuuaaaaa…!

-volvió a bostezar.

Tenía tanto sueño
que iba a dormir todo el invierno.

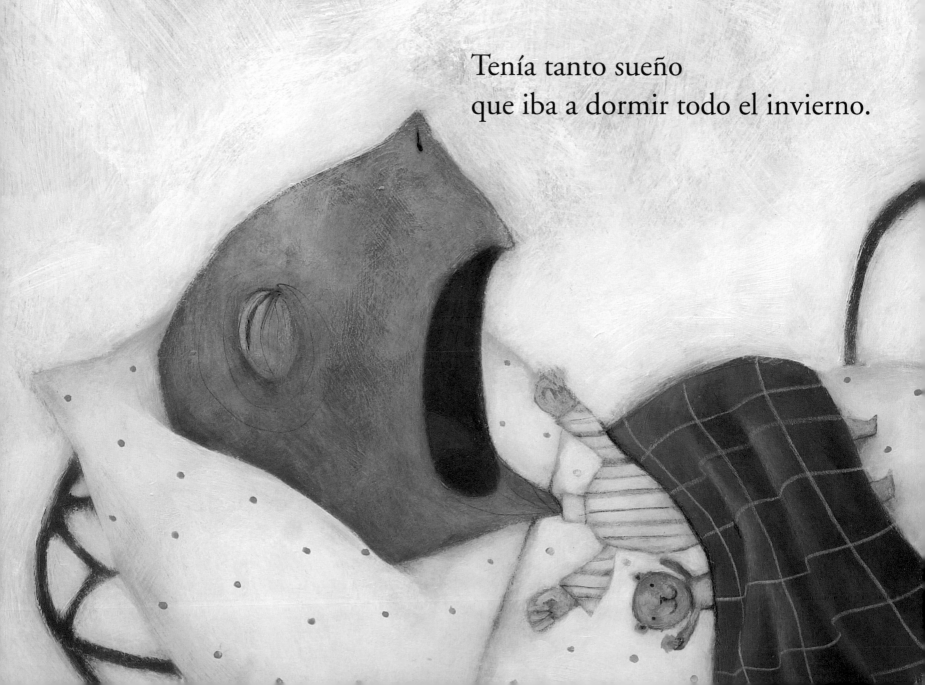

TIC

TAC

Ya estaba en la cama
con su camisón a rayas.

Se había cepillado los dientes
y había mullido la almohada.

Arropaba su cuerpo con la manta morada
y tenía la barriga llena de pastel de pera.

Sus ojos se estaban cerrando,
el *tictac* del reloj la estaba adormilando…

¡TOC-toc-TOC!...

llamaron a la puerta.

La tortuga abrió los ojos;
muy despacito, se levantó;
encendió la luz y miró el reloj.

– **¿Quién será a estas horas…?**
   -se preguntó.

Se lavó la cara y limpió su caparazón,
¡que a la calle no se sale en camisón!

Al abrir la puerta
se encontró una cesta.

Dentro había un gorro de lana
y un papel con letras extrañas:

TE DESEA BUEN INVIERNO,
TU AMIGA ARAÑA.

*¡Qué amable!… ¡Qué delicada!*,
pensó la tortuga, muy halagada.

Y, con el gorro de lana,
cubrió su cabeza pelada.

– ¡Uuuaaaaa…!

-volvió a bostezar.

Tenía tanto sueño
que iba a dormir todo el invierno.

TAC

TIC

Ya estaba en la cama
con su camisón a rayas.

Se había cepillado los dientes y había mullido la almohada.

Arropaba su cuerpo con la manta morada,
tenía la barriga llena de pastel de pera
y, en la cabeza pelada, el gorro de lana.

Sus ojos se estaban cerrando,
el *tictac* del reloj la estaba adormilando…

# ¡TOC-TOC-TOC!...

llamaron a la puerta.

La tortuga abrió los ojos;
muy despacito, se levantó;
encendió la luz y miró el reloj.

**– ¿Quién será a estas horas…?**
-se preguntó.

Se lavó la cara y limpió su caparazón,
¡que a la calle no se sale en camisón!

Al abrir la puerta se encontró al león;
estaba triste, tenía roto el corazón:

— **No tengo dinero para comprar**
   **ni maña para tejer,**
   **tampoco sé cocinar…**
   **Dime, tortuga,**
   **¿qué puedo hacer?**

La tortuga pensó y pensó,
y al fin le contestó:

— **Si me quieres hacer un regalo,**
   **¡el mejor es un silencio largo!**

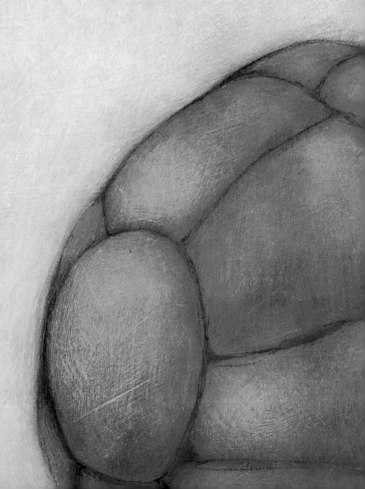

– ¡Uuuaaaaaaa…!

-bostezó la tortuga.

Tenía tanto sueño
que iba a dormir todo el invierno.

Ya estaba en la cama con su camisón a rayas.

Se había cepillado los dientes y había mullido la almohada.

Arropaba su cuerpo con la manta morada,
tenía la barriga llena de pastel de pera
y, en la cabeza pelada, el gorro de lana.

Sus ojos se estaban cerrando,
el *tictac* del reloj la estaba adormilando…

¡Y enseguida se quedó dormida!
Pero no fue por el gorro de lana
ni por el pastel de pera
ni por la manta morada…

Fue porque, en la entrada,
el león se encargaba
de que no se moviera
ni una sola rama.